El baúl de los
MONSTRUOS

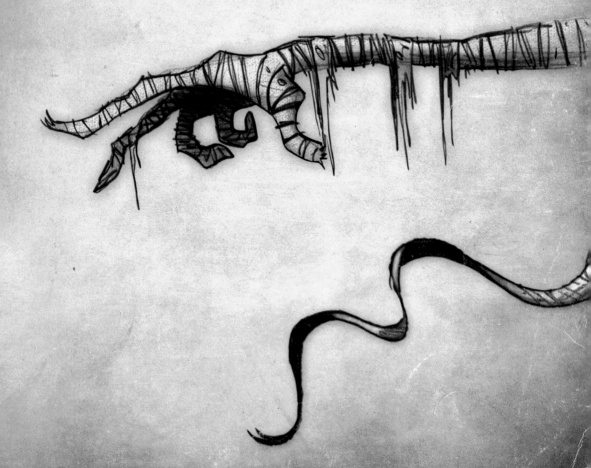

La momia

Enric Lluch / Pablo Tambuscio

ALGAR
EDITORIAL

La momia escuchó que
iban a cerrar el museo.
—¡Madre mía! —exclamó—.
¿Qué harán con nosotros?
Enseguida, buscó a su
amigo, el león disecado.

El león vio a su amiga muy
alterada, y le preguntó
qué pasaba.
–¡Atención! ¡Van a cerrar el
museo! –gritó la momia.

Instantes después, todos sabían
la noticia. La serpiente escapó por
la ventana, el elefante rompió a llorar,
el rinoceronte se daba cabezazos
contra la pared, la cebra,
el cocodrilo y el mono se
        pusieron a gruñir.

La momia y el león se disfrazaron y
se escaparon.

–¿Dónde piensas ir ahora? –preguntó
el león disecado.

–A Egipto, el país de las momias;
pero no sé dónde está.

La momia encontró a una señora
en la parada del autobús.
–¿Sabe usted si este autobús tiene
parada en Egipto?
La mujer creyó que le
estaba tomando el pelo.

La momia tuvo que bajarse del autobús
porque no llevaba billete.
De repente, se puso a llover y se le mojaron
las vendas.
–¡Huy! Tendré que ir a la farmacia
a comprar esparadrapo.

Después, se refugió en una cabina telefónica.

–¿Cómo se encuentra usted? –le preguntaron dos médicos. Creían que estaba herida y la subieron a una ambulancia.

Los médicos comenzaron a quitarle
las vendas.
–¡No, por favor, no quiero que me
vean desnuda!
De un salto, la momia se escapó
de la ambulancia.

La pobre momia llegó a una parada de taxis.

–¿Me podría llevar a Egipto sin pagar? –preguntó al taxista.

–¡No diga tonterías y llame a una ambulancia, tontaina!

La momia, empapada,
encontró al león muerto
de frío.
—Yo no he ido a Egipto
y tú te has resfriado.

Entonces vieron a la policía en la puerta del museo.

La serpiente les explicó lo que le había contado la hiena charlatana:

—La policía cree que unos ladrones han destrozado el museo...

La momia y el león volvieron a disfrazarse para entrar.

A la momia y al león les costó
volver a su sitio.
Pero después, con las vendas
secas y estiradas,
la momia parecía recién
estrenada. ¡Uf, qué día!

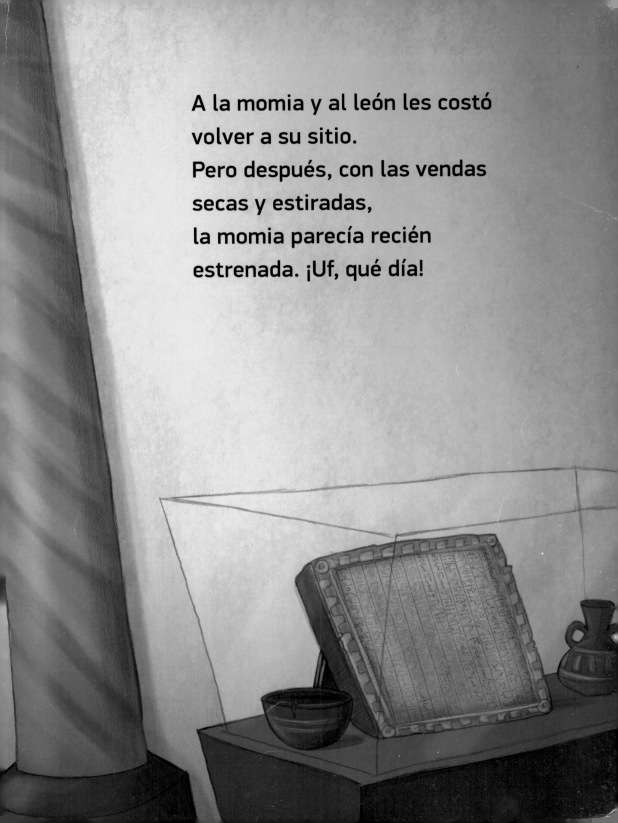

El baúl de los MONSTRUOS

La momia

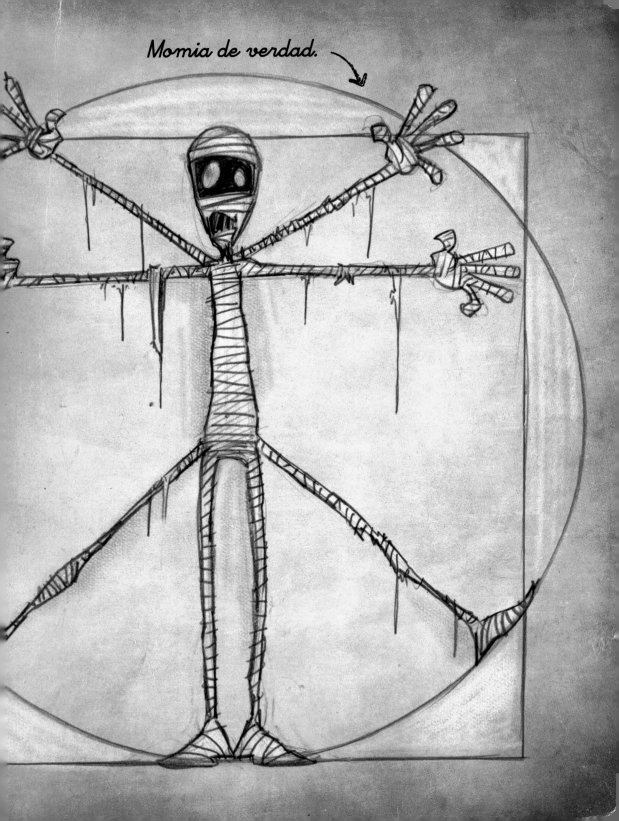

Momia de verdad.

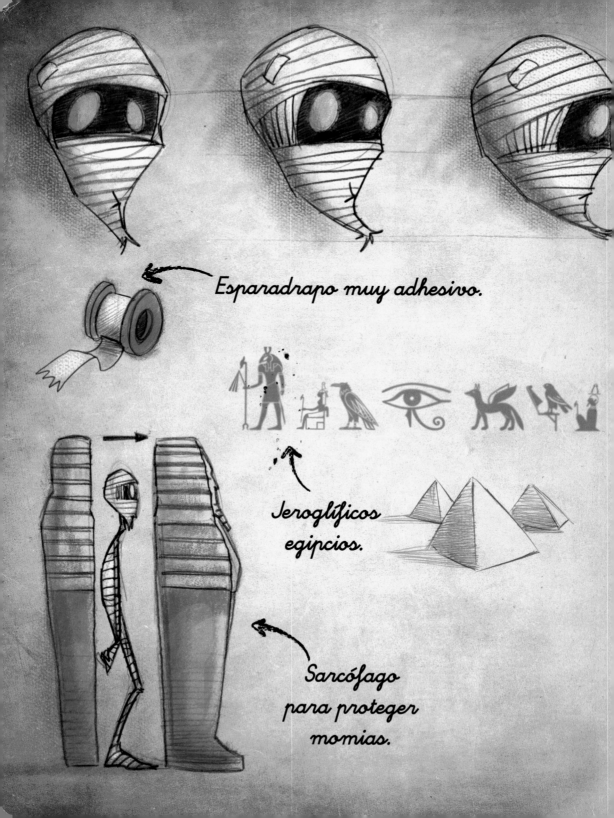

Esparadrapo muy adhesivo.

Jeroglíficos egipcios.

Sarcófago para proteger momias.

Escarabajo
sagrado con
colgante incluido.

Vendas
especiales para
momias.

Vara de mando y matamoscas, también
de mando.

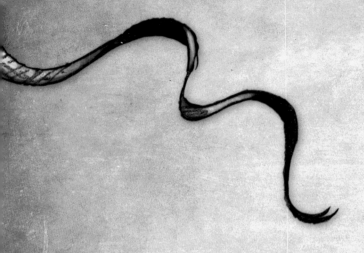

Licencia editorial por cesión de Edicions Bromera, SL (www.bromera.com)

© Textos: Enric Lluch Girbés, 2010
© Dibujos: Pablo Tambuscio, 2010
© De esta edición: Algar editorial
   Apartado de correos 225
   46600-Alzira
   www.algareditorial.com
Diseño de la colección: Pere Fuster

Impresión: IGE
1ª edición: noviembre, 2010
ISBN: 978-84-9845-175-7
DL: V-3368-2010